Lovis Corinth   Walchensee

Piper Galerie

Lovis Corinth
Walchensee

Mit einer Einführung
von Horst Keller

R. Piper & Co. Verlag München Zürich

ISBN 3-492-02179-4
© R. Piper & Co. Verlag, München 1976
Gestaltung: Klaus W. Koop
Gesetzt aus der Trump-Antiqua
Gesamtherstellung:
Graphische Werkstätten Kösel, Kempten
Printed in Germany

Der Maler Lovis Corinth am Walchensee – eine der glücklichen Fügungen der deutschen Malerei am Anfang unseres Jahrhunderts, strahlender Höhepunkt und dann schon Endpunkt eines großen Malerlebens, mehr noch, als das für Kandinsky in Murnau und E. L. Kirchner in Davos gilt.

Der Walchensee – 1925. Im Stil der oft bemühten Nachschlagewerke zu genau dieser Zeit wäre er etwa so zu beschreiben: »Fischreicher Alpensee in Oberbayern zwischen Karwendelgebirge, Herzogstand und Benediktenwand, achthundert Meter hoch gelegen, mit einer Wassertiefe von einhundertundzwanzig Metern. Der ihm nördlich benachbarte Kochelsee, von dem er durch den Kesselberg getrennt ist, liegt zweihundert Meter tiefer.«

Und Corinth – 1925. Mit diesem Jahre erreicht der Siebenundsechzigjährige schon sein Lebensziel, hochgeehrter Künstler, Berliner, weithin bekannt, ein Mann, der ein riesiges Werk hinterläßt, Bilder, die weiterwirken.

Aber nun diese Fügung: Lovis Corinth am Walchensee. Ein Ereignis, das am ehesten an seinem künstlerischen Ertrag gemessen wird. Der Walchensee nämlich entfacht in Corinth eine solche Lust zum Schaffen, daß man sie ziemlich einmalig nennen kann in dieser Epoche. Es kommt hier in kurzer Zeit zu achtundfünfzig ausgeführten, herrlich frischen, auch nach fünfzig Jahren genau wie einst bewunderten Gemälden, handlich und »in einer Sitzung« im Freien gemalt. Das große Werkverzeichnis von Charlotte Berend-Corinth verzeichnet sie alle. Hinzu treten als noch einmal selbständige Werkgruppe köstliche Aquarelle, viele Handzeichnungen, Lithographien und Radierungen, sämtlich also von einem einzigen grandiosen Landschaftserlebnis gespeist und auf eine erstaunlich souveräne Weise in Corinths Bildsprache übersetzt.

Das ist sofort, also schon von seinen Zeitgenossen, bemerkt worden. So beschreibt einer der entschiedenen Verfechter und Kenner moderner Kunst, Ludwig Justi, bei seinem Rundgang durch die Nationalgalerie Berlin, 1931, sechs Jahre nach Corinths Tod, eine »Walchensee-Landschaft«, die nur wenige Jahre später zusammen mit anderen Meisterwerken seines Spätstils von den Nationalsozialisten als »entartet« beschlagnahmt werden sollte. Diese Beschreibung ist von solcher in diese Schaffensprovinz von Corinth einführenden Unmittelbarkeit, daß sie im Auszug zitiert wird. Justi: »... Am Walchensee ... entstand eine große Zahl von Landschaften, die an Freiheit, Leuchtkraft und Empfindung zum Herrlichsten gehören, das er geschaffen hat. Unsere Ansicht vom Walchensee, 1921, ist eine der frühesten in dieser gefeierten Reihe. Strahlende Farbe, in ganz seltenen Zusammenklängen, schwarzgrün und gelb etwa; beherrschend ein prachtvolles Blau. Breit gemalte Flächen, anderes in schmaleren Zickzack-Strichen bewegt hingeschrieben, manches mit dem Spachtel aufgetragen, einzelne Lichter und Farbspritzer mit dem Pinsel hineingehauen: der ganze Malkörper höchst unregelmäßig in Entstehung, Bewegung und Stärke ... man sieht, daß der Meister sehr rasch arbeitet: im einzelnen Strich, weil die Hand nicht lange hält, im Ganzen, um die schnell sich wandelnde Natur-Erscheinung auf der Leinwand festzuhalten; man fühlt die ungeduldige Spannung. So ist das Malwerk nicht minder erregend und lebendig als die Farbe. Nie vorher ist Landschaft so gesehen und gemalt worden.«

Der große Ludwig Justi als Kronzeuge also für eine bis heute unvermindert anhaltende Faszination. Und was er beschreibt,

I

gilt für alle Walchensee-Bilder und deutet auch schon eine
geistige und physische Situation an.

Das Thema »Walchensee« ist die Ernte von nur sieben großen
und glücklichen Schaffensjahren, die noch anderes Beträcht-
liche für den schnell alternden Corinth eingebracht haben:
Bildnisse, kraftvolle Stilleben, mächtige Kompositionen und
die stattliche Zahl der Selbstbildnisse, auch solche am Walchensee, mit erforschendem Ernst jeweils am Geburtstag –
mitten in den Sommerferien – am 21. Juli im freien Sonnen-
licht stehend heruntergemalt. Seltenes Phänomen, wie seine
Bildniskunst überhaupt.

Das hier beschäftigende künstlerische Ereignis gehört in die
Jahre 1918 bis 1925. In seiner Geltungsdauer scheint es un-
begrenzt. Die Bilder lassen sich lesen und halten ein Leben,
als wären sie gestern gemalt; sie verdanken es einer in der
Malerei seltenen Ausdruckskraft, sind also Zeugen jener
Kunst, die nicht an einen Zeitstil gebunden bleiben.

Zu der trockenen Vorgeschichte dieser strahlenden Gruppe
von Walchensee-Bildern, von denen dieser Band eine Aus-
wahl farbig wiedergibt, samt Radierungen und Lithographien,
die das Thema von möglichst vielen Seiten zu fassen suchen,
am besten die Notiz von Corinth selbst, wie er es bescheiden
und doch bestimmt in seiner Selbstbiographie mitgeteilt hat:
»... Meiner Frau schenkte ich ein Stück Terrain, worauf sie
ein kleines Blockhaus erbaute ... ein reizender Blick war hier
auf den See und bald hatte ich alle Motive gemalt, die nun
zur Freude der Menschheit werden sollen.«

Dieses Fleckchen Alpenidyll, von Corinth als »Terrain« be-
nannt, gewann sich die Malerfamilie 1918 im hochgelegenen
Urfeld am äußersten Nordzipfel des Walchensees, gegen

Süden gewendet, den Blicken Fremder entzogen. Und es ist einem spontanen Entzücken der Künstlergattin Charlotte zu danken, daß sie den leise zögernden Maler wie in unzähligen Fällen sonst, die zu seinem Glück umschlugen, dafür gewonnen hat, hier in Urfeld Fuß zu fassen für die »anderen Tage«, die nicht berlinischen.

Sieben Jahre über sind »die Corinther«, wie sie sich manchmal selbst genannt haben, in allen Ferien, zu allen Jahreszeiten, auch zu Weihnachten, auf diese verborgene »Aussichtskanzel« gezogen. Was wichtiger ist: dem Blockhaus von Urfeld am Walchensee verdanken wir die kraftvollsten Landschaftsbilder – und diese Bezeichnung hinkt noch hinter dem genialen künstlerischen Umsetzungsprozeß her – der deutschen Moderne. Das gilt trotz der gleichzeitigen und etwas früheren Taten der deutschen Expressionisten auf dem Felde der Landschaftsmalerei.

Ein nur am Rande zu bemerkendes, nie recht mitgeteiltes Kuriosum an diesen berühmten sieben Jahren von 1918 bis 1925 ist es im Rückblick, daß in genau dem gleichen Zeitraum, in dem die Malerfamilie dieses vollkommene Idyll genießt, sich Stollen für die mächtigen Wasserrohre durch den Fels fressen, von der Tiefe her bis unter Urfeld, sozusagen »unter die Corinths«, vom Fuße des Kesselberges her, der Walchensee und den viel tiefer gelegenen Kochelsee trennt. Unter Ausnutzung eines bemerkenswerten Gefälles von zweihundertundzwei Metern entsteht damals das größte Kraftwerk Bayerns.

Dem Maler Corinth ist dieses gewaltige unterirdische Vorhaben kein Thema und Motiv, ihn packt in schnell zunehmendem Maße das Bild der Alpensee-Landschaft, die vor

ihm ausgebreitet liegt, mit der südlichen Kette der schnee-
bedeckten Berge, die das Panorama vollenden.

Was hier in sein Blickfeld tritt, löst, wie schon Ludwig Justi
betroffen feststellt, ein wahres Drama an Farben aus. Diese
Landschaft wird zum Übermittler aller Empfindungen, zu
denen Corinth auf der Höhe seiner Kunst überhaupt fähig
ist. Die in ihm wohnenden Kräfte befreien sich auf eine ihn
oft selbst verblüffende Weise, ohne daß er etwas ergrübeln
müßte. Wie ein Sturm kommt hier immer neue Schaffens-
kraft über ihn, reine Freude am Malen. Und wenn er selbst
verkleinernd und beinahe im Ton des Biedermanns davon
sagt: ».. . jeder Berliner wollte ein Bild aus jener bayerischen
Gebirgsecke besitzen, und so kam es, daß ich nebst dem Still-
leben ein Spezialist für diesen schönen Winkel am Walchensee wurde . . .«, so wußte er selbst doch ganz genau, daß seine
Arbeit mit der eines Routine-Alpenmalers auch nicht das
mindeste zu tun hatte.

Dennoch kommt das Erlebnis und Ergebnis vom Walchensee
nicht ganz von ungefähr. In Wahrheit entdeckt der damals
Sechzigjährige seine »alte Liebe«. Der Ostpreuße Corinth
hatte bis 1900 beinahe ein volles Jahrzehnt in München ge-
lebt und gewirkt, war in dieser Zeit der bayerischen Landschaft zugetan, verbrachte als Münchener Künstler, der nicht
nur in der Kunst-Stadt zu Hause war, in den Jahren 1892 und
1893 Sommertage in Kraiburg am Inn, auch in Bernried im
Bayerischen Wald, immer wieder bis 1912; er war in Dachau,
in Schäftlarn an der Isar und in Tutzing zu finden und endlich
1910 und 1911 in Tirol. Er wußte also – und das hat er frei
bekannt –, wofür er sich entschied, als er seiner Frau, dieser
immer belebenden, ihn beschenkenden und aus jeder Düster-

nis der Gedanken befreienden Muse, Gattin, Mutter der Kinder, Künstlerin selbst und Schriftstellerin dazu, die Wiese am Hang, die Bäume, kurz: das »Terrain« zum Geschenk machte.

Und Charlotte schmiedet hier kein enges Familienglück, sondern sie schafft für ihn das »Freilicht-Atelier«, wie er es nur wünschen konnte, und dies für Sommer wie für Winter; daß die Familie mit Thomas und Wilhelmine hier gleichfalls die schönsten Tage des Jahres verlebte, ist wiederum der Gattin zu verdanken, die auszugleichen verstand wie selten eine Frau, die die schwerblütige Natur Corinths durch Geduld für immer neue, kühne Bilder gewann, indem sie der erste ehrliche Bewunderer wurde und blieb.

Will man sich von dem vollkommenen Einklang von Erlebnis und Verwandlung eine Vorstellung verschaffen, so genügt es, eine beliebige, sich auf Urfeld beziehende Stelle in dem Erinnerungsbuch »Mein Leben mit Lovis Corinth« von Charlotte Berend-Corinth nachzulesen, etwa die wehmütig-begeisterte Notiz vom 12. November 1925, also wenige Monate nach dem Tode Corinths: »... Den gestrigen Tag habe ich damit abgeschlossen, wieder einige Bilder zu firnissen. Die ›Schneelandschaft‹ aus Urfeld. Sie ist zum – Rasendwerden schön. Der Mittelgrund – die kleinen eingeschneiten Hüttchen liegen wie im Traum da. Dazu das bißchen rotbraune Farbe der Blätter und das Geäst der Bäume. Und hinten über den Bergen das Leuchten, das winterliche Leuchten, während über dem See die Schneenebel leise hinziehen. So, ganz so ist Urfeld alle die Winter hindurch gewesen ... im Zimmer die Wärme des großen Bauernofens und vorm Haus hoch der Schnee, kaum, daß es sehr kalt war ...«

Da ist aber auch schon das Entscheidende, unverkennbar
»berlinisch«, anders als von Justi, von ihr angesprochen:
»...das bißchen rotbraune Farbe...« Es gibt bei Corinths
Walchensee-Bildern nicht das behutsame Niedersitzen, um
Natur zu beschreiben, und es war – trotz der Wiederkehr
mancher Motive »vom Balkon aus« – nicht ein Malen von
»Tageszeitenbildern« nach weislich überlegtem, also auch mit
Gedankenfracht beladenem Plan, wie bei Caspar David Fried-
rich, sondern es war allemal das perfekte Experiment: Heraus-
treten ins volle Licht des Tages oder auch in den Mondschein,
jedesmal auch die frisch angelegte und nur einmal benutzte
Palette auf dem linken Arm und dann stehend vor der Leinwand, bald hier, bald dort: harte Arbeit am Bild, das er in
einem Zuge fertigmalt, und vor dem er sich im Dunkel des
Blockhauses von der Wirkung im Ganzen, Tonwerten, schwa-
chen und starken Stellen nachdenklich Rechenschaft gibt, viel-
leicht korrigiert, aber nur wenig, und sich zufriedengibt. Dabei kommt in den Sinn, daß diese Bilder selten über das
Format hinausgehen, das nicht der Reichweite des malenden
Armes entspricht; es sind also meist Mittelformate. Von den
58 Bildern erreichen nur 17 annähernd ein Großformat, kei-
nes dieser Querformate aber mißt mehr als 120 Zentimeter.
Das ist anders als sonst in Corinths späteren Schaffensjahren,
wo trotz sich mindernder physischer Kraft, nach einer Erkrankung von 1911 auf 1912, die Arbeit auch in Großforma-
ten immer auf Gedeih und Verderb geht. Gemeinsam ist das
wahre Furioso mit zartesten Pianissimo-Stellen mittendrin.
Vor diesem Prozeß des Malens am Walchensee herrscht ge-
fährliche Unruhe im Inneren. Da wird das Wetter beobachtet,
immer wieder, argwöhnisch auch der Wind, wird das Gewölk

2

geprüft, das ihm sein Vorhaben zunichte machen könnte, da wird die Meinung Charlottens zu scheinbaren Nichtigkeiten oder Äußerlichkeiten erfragt, nur um die schwelende Sorge um das Gelingen jedes einzelnen Bildes niederzuringen. Bei jedem Bild das gleiche Brüten neu, als seien diese großartig freien und auf »Vollendung« gar nicht bedachten Visionen auf solche Weise zu »zähmen«, im voraus zu besänftigen. Er betrachtet Bäume, die Bergföhren, bemerkt das erste Aufblitzen von Frühling, von beginnendem Tauwetter, hochoben, er läßt seinen Blick über die grüne Helle der Wiesenmatten gehen, auch über die dunkel verschatteten Bauernhöfe und Almhütten in der Tiefe unter ihm. Und endlich beschäftigt ihn das Generalthema, die Mitte, der gelassen trennende Spiegel des Wassers, der gebreitete Walchensee, bald von Schwaden winzig kleiner Lichter übersät, bald in seidiger Bläue wie ausgespanntes Tuch, dann wieder mit seinen plötzlichen stockenden Stumpfheiten, Unwetter androhend, auch Schneetreiben.

Bei Corinth führt das alles nicht zu »Naturschilderungen«, viel eher zu einem einzigen Selbstverwirklichen. Das ist aus seiner Kunst in ihrer geschlossenen Ganzheit zu verstehen. Wie die Bildnisse dieser Zeit bei aller »Ähnlichkeit« auf einen Wesenskern des Gegenüber abzielen und ihn treffen, mit oft ungefähren Hieben des Pinsels, so »bemächtigt« er sich dieser Alpenwelt. Kein Gipfel wörtlich, alle aber, wie naher Baum und kleines Blatt, »auslösend« und Teile einer eigenwilligen Sicht.

Das Frühwerk ist anders und hier nicht heranzuziehen, soviel Können es enthält.

Am Walchensee hat er die Landschaft »in sich«, er kennt sie

auswendig, und so muß sie sich auch seinen Eingebungen fügen. Sie tut es, und sie ist in seinem Werk dann viel mehr, als Charlotte in ihren Notizen vom Winterbild angedeutet hatte, als sie es firniste, viel mehr also, als sie von der erlebten schlichten Wirklichkeit am Schauplatz Corinthischer Taten aussprechen wollte. Jahrzehnte hindurch, auch durch ihren langen Witwenstand, den sie noch zu durchleben hatte, ist die freibekennende Liebe und Demut zur Huldigung an Corinth geworden, die ohne Besserwissertum dennoch Sieger über die Interpreten blieb. Wir haben in der neueren Malerei kaum ein vergleichbares Wesen zu nennen, das Inspiration so sehr mit Unterordnung verband.

Die Malertaten fordern ihn ganz. Gert von der Osten erwähnt in seinem Buch über Corinth die Beobachtung von Rudolf Grossmann, der den malenden Corinth in den Walchensee-Jahren geschildert hat: »Wenn er arbeitet, reißt er die Augen weit auf, eine Wut packt ihn, wie er sagt, seine Züge spannen sich, die Nüstern weiten sich – er ist so besessen von dem Eindruck, daß alles andere um ihn versinkt.«

Entkräftet bis zum Zusammenbrechen kehrt er dann vom Malen zurück, nicht einmal des Erfolges sicher, sondern noch beim Einzug ins Blockhaus, die nasse Leinwand vor sich hertragend, voll banger Fragen, die von der Familie mit kleinen Listen oder gar mit der überlegenen weiblichen Klugheit seiner Gefährtin ins Gegenteil verkehrt werden müssen: kleine Meisterstücke menschlicher Diplomatie. Das Bild ist gelungen! Alle sehen, bewundern es, ohne seine unbequeme Art abschütteln zu wollen. Er ist ihr Herrscher, und sie haben Empfindung genug, jedes neue Werk neu zu werten, neu einzuschätzen, des Malers Entzücken am Tun mitzuerleben, ohne ihn zu treiben oder zu stören. Hier hat sein Genius wahrhaftig eine Getreuenschar um sich, die mannhaft ertragen hat, was seine Malerei im kleinen Blockhaus an Durcheinander, Aufschrecken, Modellsitzen, sonstigen Hilfen von ihr erfordert hat. Corinth hat es ihnen gedankt, es verband sie gegenseitig.

Nicht zu jeder Stunde also ist dem Schöpfer der »Walchensee-Landschaften« diese Sprachgewalt als das innere Geheimnis seiner Bilder bewußt, mit allen ihren dunklen Hieben, ihrem oft mächtigen Blau und Violett in der Region des Sees und den pastos gesetzten Uferpartien, in den wahren Fanfarenstößen von gelbrotem, huschendem Blattwerk, von hingewischtem flachem Wiesengrün und dahinter den in schrägen weißen Schüben aufgestrichenen schneeigen Zonen jenseits des Sees. Er »erfragt« sich ihre Schönheit im nachträglichen Mustern. Viel später erst wird ihm oft bewußt: ihm steht eine urkräftige Poesie zur Seite, die sich über das Motiv erhebt, oder – wie es der Kunsthistoriker Curt Glaser schon 1922 in einem Aufsatz in der Zeitschrift »Kunst und Künstler« ausgedrückt hat: »... Es gibt innerhalb dieser Bilder nicht Himmel und Wasser, nicht Berge und Wiesen, nicht Bäume und Häuser, es gibt nur eine überall einheitliche farbige Materie, ein lückenloses Gewebe aus anschwellenden Farben und wieder verklingenden Tönen. Und es ist wie in einem guten Liede zuerst Melodie da und erst in zweiter Reihe wortgemäße Bedeutung.«

Solche Bemerkungen sind nur ein Zeichen mehr für die Mitteilungskraft der Walchensee-Bilder von der ersten Stunde an. Und wenn die Verblüffung hier in das »Entwerten« des Alpenmotivs übergreift, um ja den Rang des großen Künstlers

16

3

4

5

6

7

8

9

IO

II

12

13

14

15

16

18

19

21

22

23

24

und Berliner Professors zu wahren, des langjährigen Vorsitzenden der Berliner Sezession, dann verweht solch eine Stellungnahme vor der längst einsam und autonom gewordenen Macht der Bilder, die den Walchensee nicht leugnen, weil sie von seiner Schönheit so ganz durchtränkt sind.

Und darum nun doch zu dem vorgegebenen Motiv »Walchensee«. Bald ist es nahe, bald entrückt, wie er es an sich zieht, wohl umherstreifend, eher aber wartend, mit Lesen befaßt, sogar über den Tag und im Blockhaus, als eilte es ihm nicht. Dann tritt er hinaus ins Freie, in die Natur. So hat er denn – schon zuvor ersonnen – bald den Jochberg, bald die Dorfstraße, bald das Wettersteingebirge, bald den See allein mit seinen tausend Gesichtern, den Schnee- wie den Sonneneffekt, dann auch den einzelnen alten Baum, den kleinen Springbrunnen zu malen im Sinn, und er tut es ohne Umschweife.

Man kann es sich freilich durchaus ersparen, seine Blickpunkte einzeln verspätet auf Wörtlichkeit der »Naturaufnahme« hin abzuschreiten; denn alles wird durch ihn neu und anders erschaffen. In größter Freiheit der Pinselschläge, der Tupfer, Hiebe, Striche, Flecken, ineinander und übereinander gesetzt in seltener Melodik, nie chaotisch, immer orientiert an der tiefen, satten Bläue des Sees. Seine Phantasie ist ihm Berater, und so verwandelt er den See, alte und junge Bäume – auch unter dem Schein des Mondes –, Licht, farbigen Schatten, Enge und Weite, Dichte des Waldes. Niemand vor ihm hat hier so frei gewaltet und so groß gehandelt und niemand nach ihm. Erstaunlich genug: der schwerblütige Ostpreuße wird zum großen Alpenmaler. Die Unmittelbarkeit seiner Gestik bleibt selbst den großen Kennern alpenländischer

Natur, Hodler und Segantini – um nur Zeitgenossen zu nennen –, überlegen, dies jedenfalls im Vortrag, bewirkt durch unmethodische Aufnahme und Weitergabe.

Dabei haben Corinth gerade in dieser Region seines Schaffens Rangordnungen und ein an sich erlaubter Ehrgeiz, es allen voran zu tun, wohl wahrhaftig nicht beschäftigt, ihn, der als Absolvent der Akademien von Königsberg, Paris und München sich immer zuerst als Figurenmaler gesehen hat. Das ist unbestritten, wie es für das Stilleben als seine Domäne gilt, dann für das auf das Ende zu immer mehr ins Visionäre gesteigerte Bildnis und endlich für die große Komposition aus innerer Vorstellung – man denke nur an das einzigartige Bild aus der griechischen Sage »Das Trojanische Pferd« der Berliner National-Galerie. Und doch wird er hier der große Landschafter.

Menschlich gesehen: Am Walchensee wird alles, was ihm sonst dunkel ist und schwer zu ertragen, leicht, scheinen ihm alle Nöte und Auseinandersetzungen zu entrücken; an ihre Stelle tritt das reine Malerglück. Kronzeugin dafür bleibt Charlotte Berend-Corinth. In den zwanzig Jahre nach dem Tode des Malers erschienenen Erinnerungen erzählt sie einzelne Szenen, Unternehmungen, Maler-Wagnisse, die das kleine Drama »Walchensee« beleuchten. Ein Beispiel dafür: Corinths Malerei bei Nacht. Sie berichtet memorierend: »... An manchem Abend saß er in Urfeld und wartete den Mond ab, um ihn zu malen. Er wartete nie vergebens, überhaupt selten spielte ihm das Wetter einen Streich. Alles war für die Mondmalerei vorbereitet, die Leinwand stand mit der Staffelei oder dem Holzbrett da, die Palette war voller Farben. Dann trat der Mond über den Jochberg und Lovis

47

stürzte sich in die Arbeit hinein wie jemand, der ins Wasser springt, und die Wellen schlagen über ihm zusammen . . .«
Solche Beobachtungen aus nächster Nähe hat Charlotte Berend viele mitgeteilt. Sie geben Corinths Walchensee-Hymnus ein Stück Lebenswirklichkeit zurück, von der sie sich nicht mehr zu nähren haben, weil das Anekdotische Corinths Leistung nicht nahe kommt, allenfalls dazugehört, weil er Menschen und Themen mit einem Mut anging, der seinem Naturell entsprach. Geblieben sind als Zeugen dieses immer neu ansetzenden Mutes die vielen gelungenen Bilder aus fünfundvierzig Jahren. Das entscheidet.

Und noch eines gilt: Mit seinen Walchensee-Bildern schafft er den großen Reigen bewegter Ausdruckslandschaften, von denen keine der anderen gleicht. Die dramatisch gewordene Handschrift des Malers steigert Baumwuchs, flacht anderes ab, dehnt und läßt schrumpfen, wie es seinem Pinselschlag einfällt. Die Farben sind allenthalben von großer Leuchtkraft und Reinheit, jäh erhellt und auch wieder zauberisch vergraut. Alles mit einer Liebe und aus einer Begeisterung, die dem Motiv die Wärme seines künstlerischen Atems einhaucht und bis heute erhalten hat.

In der geschmeidigen gleitenden Technik der Lithokreide wie in dem subtilen, grabenden Strich der Kaltnadel-Radierung setzt sich das Walchensee-Drama noch in Corinths Schwarzweiß-Kunst fort.

Diese Blätter sind gleichfalls, wie die Zeichnungen, nicht »Naturaufnahmen«. Auch sie »übersetzen« sofort, selbst wenn sie ein zu malendes Bild motivisch vorbereiten. Der Duktus ist dem des Pinsels verwandt, die Abstraktion womöglich noch größer. Ein eigentümlicher graphischer Reiz dominiert, obwohl bisweilen die farbige Erfindungskraft vor- oder nachvibriert. Sie gehören zu den Kostbarkeiten der Sammler und ebenso der öffentlich zugänglichen graphischen Kabinette in den Museen, sie haben – als in begrenzten Auflagen und vom Künstler signierte Meisterblätter – den Ruhm Corinths wohl zuerst und am weitesten in die Welt getragen. Dies mit vollem Recht; denn an ihnen erweist sich, daß die großen Maler auch die großen Zeichner sind, wie in vielen Fällen der europäischen Kunst.

Dem Vorwort seiner graphischen Mappe »Am Walchensee« – das sind neun Radierungen, die 1921 erschienen, – verdanken wir sogar die persönlichste und wohl auch privateste Beschreibung, die Lovis Corinth je von Urfeld am Walchensee gegeben hat. Die wenigen Zeilen führen zudem in das Wesen eines Mannes ein, dessen Schlichtheit und Biederkeit nicht nur hier hervorgetreten ist. Es heißt da mit Corinths Worten: »Dieses Urfeld ist ein ganz winziger Ort, es gibt dort eine Post, zwei Gasthäuser, aber weder Schuster noch Schneider. Einige Villen, ebenfalls im Liliputanerstil, leuchten unter schwarzen Tannen hervor. Eines dieser Häuschen gehört uns, hart am Fuße des Herzogstands.«

Diese Sachlichkeit, diese abkürzende pointierende Schreibweise, die sich in keinem Augenblick in die Selbsttäuschung verliert, kennzeichnet Corinth als einen geistig überlegenen Maler, der auch hier am Walchensee seinen Spott für die Stümper nicht abtut. Und wenn heute seine Bilder auf beiden Seiten des Atlantik verstanden werden, so auch deshalb, weil er einer »deutschen« oder deutschtümelnden Malerei, die Kunst durch Gemütstiefe ersetzen will, nicht nur mit der Tat, sondern mit dem ätzenden Wort den Kampf ansagt. Es gibt in seinen 1920 erschienenen »Gesammelten Schriften« im Kapitel »Gedanken über den Ausdruck – Das Moderne in der bildenden Kunst und was sich daran knüpft« eine glänzend-bissige Passage, die seinen Rang in wenigen Sätzen spiegelt. Es heißt da: »Sollten nun etwa Frömmigkeit und Familienleben die Eigenart deutschen Wesens sein? Zwar gibt es diese Merkmale auch bei anderen Völkern, aber der Deutsche will nun einmal alles, was Gemüt heißt, im ureigensten Besitz haben. Es hängt diesem spezifisch ›deutsch‹ Benannten immer etwas Anekdotisches an. Dieses erstreckt sich bis auf die Schilderung der Tiere. Ein Hahn, der auf einem Misthaufen nach Körnern scharrt, gehört als Motiv noch aller Welt an; reckt er aber den Hals und kräht, so ist das ›deutsche‹ Malerei. Auf die Menschen übertragen, ist es genau dasselbe: Ein Mensch auf einer Gartenbank im Mondschein ist nichts Besonderes; spielt er aber dazu Violine und ist schlecht gemalt und noch schlechter gezeichnet, so können wir überzeugt sein, daß er ›deutsche Empfindung‹ widerspiegeln soll.« Wer so schreibt und denkt, muß Abstand halten.

Bekrönender Abschluß des hier herausgegriffenen Themas »Walchensee« aus dem Schaffen Corinths bleibt er selbst. Er erhöht es um eine entscheidende Stufe: das Selbstbildnis. Nun ist das Selbstporträt bei Corinth ein mächtiges Thema, hier nicht zu behandeln. Nur soviel: Alle Selbstbildnisse am Walchensee, ob gezeichnet, ob aquarelliert, radiert oder lithographiert und endlich in der erhabenen Form des Leinwandbildes vorgetragen, entstehen eine Reihe von Jahren nach seiner schweren Erkrankung, dem Schlaganfall von 1911, von dem er sich erhebt, um zu einem noch größeren Werk des Alters vorzudringen. Die Selbstbildnisse gehören also in die gleiche erregende und großgeartete Stilphase der letzten Reife, sind in entschiedenem Sinne Bekenntnisse, Geständnisse und Eingeständnisse, lassen ihn wie den Betrachter an Rembrandt denken. Zu denen im Atelier, vor dem Spiegel, treten einige »Geburtstagsbilder« in *plein air*, also auf der Terrasse vom Urfelder Blockhaus entstanden. Daraus nur eines hervorgehoben, das »große Selbstbildnis vor dem Walchensee« der Bayerischen Staatsgemäldesammlungen in München (Neue Pinakothek). Das Bild entstand 1924. Der Künstler in Dreiviertelfigur, nach links gewendet, den Betrachter anblickend, in voller Sonne, die sein noch immer ziemlich dichtes blondes Haar und die mächtige Stirne trifft. Den blauen See hat er hinter sich. Das gebauschte offene Hemd ist rotgestreift, rechts von ihm bis zum Bildrande flockiges nahes Grün, in der Tiefe ein hell besonntes Dach.

Gemalt ist dieses seither nie übersehene Werk am 66. Geburtstag Corinths – ein Geburtstagsbild wie viele andere zuvor, und doch das letzte in seinem Leben. Charlotte Berend-Corinth erinnert sich: ». . . Wenn ich daran denke, wie du da gemalt hast, Stunden und Stunden lang in der Julihitze stehend . . . dazu der Widerstrahl des Sees im Spiegel! Wir alle suchten matt den Schatten des Hauses auf. Oft kamst du aufgeregt ins Haus, das schwere Bild mit beiden Händen vor dir her tragend, um es im Hause zu beurteilen. An diesem Bilde hast du schwer gearbeitet . . .«

Dieses Selbstbildnis, wie manches andere, zerstörte die Legende von dem altersschwachen Corinth, der die Palette nicht mehr habe halten können. Hier vor dem Walchensee ist er König und ein Weiser zugleich. Was er zu dieser Stunde war und noch war in dieser schönen Bergwelt, malte er hin, und das getreu seinem Leitsatz, den er kurz zuvor in seiner Selbstbiographie niedergeschrieben hatte: »Ein Neues habe ich gefunden: Die wahre Kunst ist Unwirklichkeit üben. Das Höchste!«

Lebensdaten

1858	am 21. Juli geboren in Tapiau in Ostpreußen.
1876–1880	Akademie Königsberg. 1878 Reise nach Berlin und Thüringen.
1880–1884	Akademie München. 1883 am Gardasee.
1884	Sommer in Antwerpen.
1884–1887	Akademie Julian in Paris.
1887–1888	Winter in Berlin.
1888–1891	Königsberg; Sommer auf der Kurischen Nehrung.
1891–1900	München.
	Sommeraufenthalte: 1892 Kraiburg (Inn), Bernried und Dachau. 1893 Kraiburg und Ostpreußen. 1894 und 1895 Schweiz. 1896 Zoppot. 1898 Ammerland. 1899 Bernried. Winter 1898 und 1899 in Berlin.
1900	Übersiedlung nach Berlin.
	Sommeraufenthalte: 1900 Dänemark. 1901 München und Tutzing. 1902 Pommern. 1903 Brunshaupten und Tutzing. 1904 Waitlage, Eberswalde und Dievenow. 1905 Braunlage, Blankenburg und Königsberg. 1906 Florenz und Lychen (Mark). 1907 Timmendorf, Kassel und Mittelrhein. 1908 Niederlande, Westerland und Lüneburger Heide. 1909 Doberan und Niendorf in Mecklenburg. 1910 Thaur in Tirol. 1911 St. Ulrich (Südtirol).
1902	Im Vorstand der Berliner Sezession.
1903	Verheiratet mit der Malerin Charlotte Berend.
1911–1912	Schwere Erkrankung.
1911–1912	und ab 1915 Vorsitzender der Berliner Sezession.
	Sommeraufenthalte: 1912 Bordighera und Bernried. 1913 Riviera und St. Ulrich. 1914 Rom, Forte de' Marmi und St. Moritz. 1915 Waaren. 1916 Niendorf, Nienhagen und Doberan. 1917 Nienhagen.
1918	und die folgenden Jahre im Sommer alljährlich in Urfeld am Walchensee. 1918 Tapiau. 1921 Luzern. 1923 Niendorf. 1924 Schweiz. 1925 Holland.
1925	am 17. Juli gestorben in Zandvoort/Holland.

Bildverzeichnis

1 *Unser Haus am Walchensee*, 1919. Radierung aus der Mappe »Bei den Corinthern«, 32 x 24,7 cm. Schwarz 380. Foto Blauel, Gauting bei München

2 *Blick auf den Walchensee*, 1920. Radierung aus der Mappe »Am Walchensee«, 19,8 x 24,9 cm. Schwarz 432/IV. Foto Städtische Galerie München

3 *Selbstporträt mit Strohhut*, 1923. Öl/Pappe, 68,5 x 84 cm. Berend 925. Kunstmuseum Bern. Foto Blauel, Gauting bei München

4 *Am Walchensee*, 1918. Radierung, 31 x 22,5 cm. Schwarz 348

5 *Walchensee im Nebel*, 1920. Lithographie, 32 x 36,8 cm. Schwarz 441. Foto Blauel, Gauting bei München

6 *Oktoberschnee am Walchensee*, 1919. Öl/Lwd., 45 x 56 cm. Berend 772. Staatliche Kunsthalle Karlsruhe

7 *Tal-Grund*, 1920/21. Lithographie aus der Mappe »Vorfrühling im Gebirge«, 43 x 32 cm. Müller 571. Foto Blauel, Gauting bei München

8 *Der Walchensee*, 1920. Radierung aus der Mappe »Am Walchensee«, 24,7 x 19,7 cm. Schwarz 432/2. Foto Blauel, Gauting bei München

9 *Walchensee, Junimond*, 1920. Öl/Pappe, 59 x 72 cm. Berend 809. Privatsammlung

10 *Dorf Urfeld*, 1920. Radierung aus der Mappe »Am Walchensee«, 18,7 x 24,8 cm. Schwarz 432/3. Foto Wirth, München

11 *See-Ufer*, 1920/21. Lithographie aus der Mappe »Vorfrühling im Gebirge«, 32 x 43 cm. Müller 568. Foto Blauel, Gauting bei München

12 *Walchensee, Blick auf den Wetterstein*, 1921. Öl/Lwd., 90 x 119 cm. Berend Taf. XIII. Saarland-Museum Saarbrücken

13 *Frühling am Walchensee*, 1920/21. Lithographie aus der Mappe »Vorfrühling im Gebirge«, 32 x 43 cm. Müller 569. Foto Blauel, Gauting bei München

14 *Berg-See*, 1920/21. Lithographie aus der Mappe »Vorfrühling im Gebirge«, 32 x 43 cm. Müller 570. Foto Blauel, Gauting bei München

15 *Walchensee im Winter*, 1923. Öl/Lwd., 70 x 90 cm. Berend 897. Städtische Galerie Frankfurt. Foto Rheinländer, Hamburg

16 *Buchenwald*, 1920/21. Lithographie aus der Mappe »Vorfrühling im Gebirge«, 32 x 43 cm. Müller 572. Foto Blauel, Gauting bei München

17 *Urfeld-Walchensee*, 1922. Radierung, 20 x 30 cm. Müller 675. Foto Städtische Galerie München

Autor und Verlag danken Herrn Dr. Thomas Corinth sowie den Museen und Sammlern für Reproduktionsgenehmigungen und freundliche Mithilfe.